Anneli Pikkanen / Matti Louhi

Murrle und Pedro

Finken

Dies ist die Geschichte von der Katze Murrle
und ihrem Freund Pedro. Beide leben auf einem
Bauernhof in einem kleinen Dorf.

Alle Tiere im Dorf mögen Murrle, weil sie immer
fröhlich ist. Wenn sie über den Bauernhof oder die
Wiesen läuft, leuchtet ihr rotbraunes Fell.
Murrle ist stolz auf ihr weiches Fell und den langen,
buschigen Schwanz. Zufrieden betrachtet sie sich
im Wasser.

Jeden Tag läuft Murrle hinter der Bauersfrau her,
wenn sie frische Milch aus dem Stall holt.
Denn die Bäuerin gibt ihr davon etwas ins Schälchen.
Und frische Milch schleckt Murrle besonders gern.

Auch heute läuft Murrle hinter der Bauersfrau mit der Milchkanne her. Als sie gerade ins Haus geht, schlägt der Wind die Tür zu.
Oh weh! Murrles Schwanz ist eingeklemmt!
Entsetzt macht Murrle: „Au! Miau!"

Au!
Miau!

Die Bauersfrau dreht sich um und sieht das Unglück. Sofort öffnet sie die Tür.
Mit großen Sätzen springt Murrle davon.

Murrle ist in ein Versteck gerannt. Dort liegt sie und leckt sich das Schwanzende. Der Schwanz tut ihr so weh. Bis in die Nacht liegt Murrle so da. Dann schläft sie endlich ein.

Am nächsten Morgen hat sie keine Schmerzen
mehr. Aber die Schwanzspitze ist abgeknickt.
Deshalb versucht Murrle, das Schwanzende gerade
zu biegen. Doch das klappt nicht. Da merkt sie,
daß das Schwanzende gebrochen ist.
Murrle wird ganz traurig und fängt an zu weinen.

Die Katzen aus der Nachbarschaft haben von
Murrles Unglück gehört. Sie kommen und wollen
Murrle trösten.

Bekümmert sagen sie: „Oh je, Murrle! Was ist aus deinem schönen Schwanz geworden?
Denk jetzt nicht daran und spiel mit uns!"

Murrle mag aber nicht spielen. Sie schämt sich mit ihrem dürren Schwanzende.
Für Murrle ist das eine schlimme Zeit.

11

Als Murrle am anderen Tag über den Hof läuft,
bleiben die Hunde stehen und lachen. Sie rufen:
„Schaut mal, was für ein Reisigschwanz dort kommt!
Ha ha ha, du Reisigschwanz!"
Sogar die Maus lacht über Murrle.

Hihihihi!

Murrle denkt: „Sonst waren die Tiere doch so nett zu mir und haben mich mit meinem richtigen Namen gerufen. Warum sind sie jetzt so gemein und lachen und spotten nur?"

Und das Schimpfwort „Reisigschwanz" findet Murrle besonders schlimm. Entsetzt springt sie davon.

Murrle überlegt: „Das häßliche Schwanzende muß weg!"
In ihrem Versteck versucht sie sich das Schwanzende
abzureißen. Doch das gelingt ihr nicht. Deshalb läuft
Murrle zur Haustür. Sie hofft, daß der Wind die Tür
nochmals zuschlägt und die Schwanzspitze abfällt.

Aber die Bauersfrau entdeckt Murrles Schwanz in der Tür.
Sie macht die Tür weit auf und ruft: „Lauf weg, Murrle –
sonst tust du dir wieder weh!"
Murrle denkt: „Wenn die Bäuerin nur wüßte, warum
ich das Schwanzende in die Tür geklemmt habe!"

Der große Hund Pedro sucht Murrle. Er ist ihr Freund. Endlich hat er sie gefunden. Als er die Schwanzspitze sieht, sagt er: „Arme Murrle, was ist mit dir passiert? Du hast ja einen Reisigschwanz!"

„Mußt du mich jetzt auch noch verspotten?" fragt
Murrle gekränkt. „Ich dachte, du bist mein Freund!"

„Ich bin auch dein Freund", knurrt Pedro zurück.

Pedro macht sich Sorgen um Murrle.
Er möchte ihr helfen, weiß aber noch
nicht wie. Liebevoll bittet er sie: „Murrle,
erzähl mir doch mal, wie alles passiert ist."

Murrle erzählt Pedro nun, wie sie sich den Schwanz eingeklemmt hat. Dann berichtet sie von ihren Schmerzen und wie die anderen Tiere sie ausgelacht und verspottet haben. Sie erzählt auch, wie sie versucht hat, sich das Schwanzende abzureißen. Aber es ist ihr nicht gelungen. Darum bittet sie Pedro: „Sag du mir, wie ich das Schwanzende loswerden kann."

Pedro schließt die Augen und legt die Stirne in Falten. Angestrengt überlegt er, wie er Murrle helfen kann.
Nach einer Weile hat Pedro die richtige Idee.

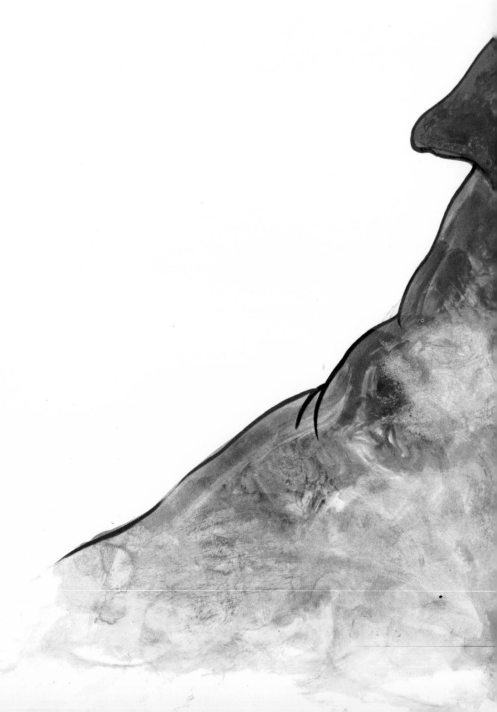

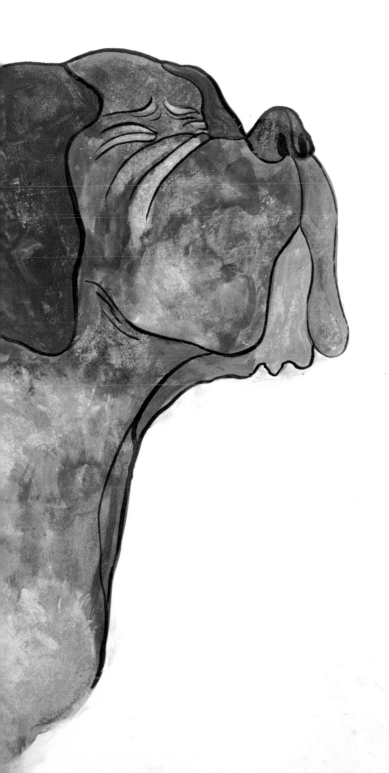

Pedro macht ein ernstes Gesicht. Er sagt zu Murrle:
„Ich weiß, wie du das Schwanzende loswerden kannst. Du
mußt nur die Augen ganz fest schließen und war-
ten. Ich sage dir dann, wann du die Augen wieder
öffnen darfst."

Murrle tut sofort, was ihr Freund Pedro verlangt.
Sie kneift die Augen ganz fest zu.

Pedro nimmt Murrles Schwanzende ins Maul. Dann
macht es laut ,Kracks', denn Pedro hat das
Schwanzende abgebissen.
Murrle bekommt bei dem ,Kracks' einen fürchter-
lichen Schreck und springt entsetzt auf einen Baum.
Aber Pedro ruft Murrle ganz lieb zu: „Komm doch
runter! Es ist alles vorbei. Der Reisigschwanz ist ab!"

Tatsächlich! Unter dem Baum liegt das häßliche
Schwanzende. Murrle hüpft erleichtert vom Baum
herunter. Sie betrachtet ihren Schwanz. Er ist zwar
etwas kürzer als früher, aber wieder schön und
buschig bis zur Spitze.
Nun strahlt Murrle wieder.

Gemeinsam gehen Murrle und Pedro über den Hof.
Jetzt lacht niemand mehr über Murrles Schwanz.
Doch Pedro knurrt die anderen Tiere kräftig an,
weil sie Murrle verspottet haben. Er sagt ihnen, daß
er Murrles Freund ist.
Murrle freut sich über ihren großen, starken Beschützer.

Murrle ist froh und glücklich, daß sie sich jetzt nicht mehr verstecken muß. Sie sagt Pedro, wie sehr er ihr geholfen hat.
Und aus Dankbarkeit macht sie etwas, was Katzen so sehr lieben: Sie leckt Pedro das Gesicht, von den großen Schlappohren bis zur dunklen Schnauze.